Plouf !

Avec Sami et Julie, lire est un plaisir !

Avant de lire l'histoire

- Parlez ensemble du titre et de l'illustration en couverture, afin de préparer la compréhension globale de l'histoire.
- Vous pouvez, dans un premier temps, lire l'histoire en entier à votre enfant, pour qu'ensuite il la lise seul.
- Si besoin, proposez les activités de préparation à la lecture aux pages 4 et 5. Elles permettront de déchiffrer les mots les plus difficiles.

Après avoir lu l'histoire

- Parlez ensemble de l'histoire en posant les questions de la page 30 : « As-tu bien compris l'histoire ? »
- Vous pouvez aussi parler ensemble de ses réactions, de son avis, en vous appuyant sur les questions de la page 31 : « Et toi, qu'en penses-tu ? »

Bonne lecture !

Couverture : Mélissa Chalot
Maquette intérieure : Mélissa Chalot
Mise en pages : Typo-Virgule
Illustrations : Thérèse Bonté
Édition : Laurence Lesbre
Relecture ortho-typo : Jean-Pierre Leblan

ISBN : 978-2-01-290402-6

Merci à la classe de Mme Laurène Morgeot de l'école Buffalo de Montrouge.

Les personnages de l'histoire

Pour préparer la lecture

1. Montre le dessin quand tu entends le son (ou) comme dans pl<u>ou</u>f.

2. Montre le dessin quand tu entends le son (ss) comme dans pi<u>sc</u>ine.

3. Lis ces syllabes.

ran	pou	pre	miè	séan	pi
cine	fri	der	niè	tion	gué

4 Lis ces mots-outils.

5 Lis les mots de l'histoire.

se doucher

sauter

nager

crevette

tortue

dauphin

En rang pour la première
séance de piscine. Tom frime :

– Moi, j’ai déjà fait
de la piscine l’année dernière :
on voulait me mettre
en compétition ! Mais j’étais
trop fatigué...

Pisci

Les filles vont avec la maîtresse.

Les garçons avec le papa

de Sami.

PiSCiNE

Léo a peur : il pleure.

– Je ne sais pas nager, dit Léo.

Je ne veux pas y aller !

Le papa de Sami le rassure.

– Tout le monde est prêt ?

À la douche !

– Et n’oubliez pas de faire pipi !

dit la maîtresse.

SAMI
WC
LÉO

– Bonjour, je m'appelle Florent !

– Et moi Laure !

Elle explique :

– Vous allez tous nager

et nous allons vous répartir

en trois groupes : crevettes,

tortues ou dauphins.

MNS
MAÎTRE NAGEUR SAUVETEUR
MNS
SAMI
TOM
NOÉ
LÉO

Léo descend par l'échelle.

Il ne veut surtout pas mettre

la tête dans l'eau !

Tom s'assoit et descend

tout doucement : il s'accroche

au bord.

MNS
LÉO
TOM

C’est au tour de Sami !

Il tient bien sa frite et hop :

il saute.

SAMi
TOM

Regarde le plafond, Sami !
Monte le ventre, Tom !
Tape des pieds, Léo !
SAMI
TOM
NOÉ
LÉO

Je veux voir de la mousse !
Les oreilles dans l'eau !
MNS
NINA
Mettez-vous sur le dos !

– Je crois qu’il faut

se retourner ! dit Sami.

– J’ai trop peur et j’ai mal

au nez, répond Léo.

– Moi, je n'y arrive pas, dit Tom.

– Moi, j'y arrive, regarde : il faut se mettre sur le dos !

explique Sami.

– Bravo, les CP ! dit Laure.

– Léo sera en crevette,
Tom en tortue et Sami
en dauphin, annonce Florent.

– À la douche ! dit la maîtresse.

MNS
MNS
TOM

AAAHH
À qui est ce sac ?
À qui est ce pull ?

À qui est ce manteau ?
LÉA

Les trois amis ont bien mérité

un petit gâteau.

– Vivement la prochaine séance !

déclare Sami.

– … Et je mettrai la tête

dans l'eau ! promet Léo.

As-tu bien compris l'histoire ?

1 Que font les enfants avant d'aller se baigner ?

2 Comment se sent Léo dans les vestiaires ?

3 Pourquoi Léo descend-il par l'échelle ?

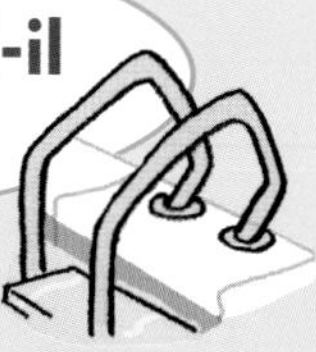

4 Comment Tom descend dans l'eau ?

5 Quel maître nageur préfères-tu ?